O nome de Deus é Misericórdia

3ª reimpressão

FRANCISCO

O nome de Deus é Misericórdia

uma conversa com
ANDREA TORNIELLI

Tradução
Catarina Mourão

Copyright © Libreria Editrice Vaticana, Città del Vaticano, 2016
© EDIZIONI PIEMME Spa, Milano, 2016
http://www.edizpiemme.it/
Copyright © Editora Planeta do Brasil, 2016
Título original: *Il nome di dio è misericórdia*
Todos os direitos reservados.

Adaptação de texto: Silvana Salerno
Preparação: Beth Gobbi
Revisão: Carmen T. S. Costa e Ana Paula Felippe
Revisão técnica: Pe. João Carlos Almeida, scj
Diagramação: Vivian Oliveira
Adaptação de capa: Departamento de criação da Editora Planeta do Brasil
Imagem de contracapa: © Contrasto

DADOS INTERNACIONAIS DE CATALOGAÇÃO NA PUBLICAÇÃO (CIP)
ANGÉLICA ILACQUA CRB-8/7057

Francisco I, Papa, 1936-
   O nome de Deus é Misericórdia / Papa Francisco; tradução de Catarina Mourão. – São Paulo: Planeta do Brasil, 2016.
144 p.

ISBN: 978-85-422-0634-0
Título original: *Il nome di dio è misericórdia*

1. Deus – Misericórdia 2. Vida cristã I. Título II. Mourão, Catarina

15-1351   CDD 231.6

Índices para catálogo sistemático:

1. Deus – Misericórdia

2016
Todos os direitos desta edição reservados à
EDITORA PLANETA DO BRASIL LTDA.
Rua Padre João Manuel, 100 – 21º andar
Edifício Horsa II – Cerqueira César
01411-000 – São Paulo – SP
www.planetadelivros.com.br
atendimento@editoraplaneta.com.br

Ao leitor. O olhar de Francisco
(*Andrea Tornielli*) 13

I. Tempo de misericórdia 31
II. A graça da confissão 49
III. Procurar todas as brechas 61
IV. Pecador, como Simão Pedro 71
V. Misericórdia demais? 81
VI. Pastores, não doutores da Lei 89
VII. Pecadores, sim. Corruptos, não! 111
VIII. Misericórdia e compaixão 127
IX. Para viver o Jubileu 133

Jesus contou esta parábola: "Dois homens subiram ao templo para orar. Um era fariseu, o outro publicano. O fariseu, de pé, orava assim em seu íntimo: 'Deus, eu te agradeço porque não sou como os outros, ladrões, desonestos, adúlteros, nem como este publicano. Jejuo duas vezes por semana e pago o dízimo de toda a minha renda'. O publicano, porém, ficou a distância e nem se atrevia a levantar os olhos para o céu; mas batia no peito, dizendo: 'Meu Deus, tem compaixão de mim, que sou pecador!'. Eu vos digo: este último voltou para casa justificado, mas o outro não. Pois quem se exalta será humilhado, e quem se humilha será exaltado".

Evangelho de Lucas 18, 9-14

Ao leitor

O olhar de Francisco

Na manhã de domingo, 17 de março de 2013, Francisco celebrava a sua primeira missa com o povo, depois da sua eleição como Bispo de Roma, ocorrida na noite de quarta-feira. A igreja de Santa Ana, no Vaticano, localizada a dois passos da homônima porta de entrada do menor Estado do mundo e que funciona como paróquia dos habitantes de Borgo Pio, estava repleta de fiéis. Também eu estava presente com alguns amigos. Naquela ocasião, Francisco pronunciou a sua segunda homilia como Papa, falando de improviso: "A mensagem de Jesus é a misericórdia. Para mim, digo com humildade, é a mensagem mais forte do Senhor".

O pontífice comentava o trecho do Evangelho de João que fala da adúltera, a mulher que os escribas e os fariseus estavam para apedrejar, como prescrito na Lei Mosaica. Jesus salvou a sua vida. Pediu a quem não tivesse pecado para atirar a primeira pedra. Todos foram embora. "Eu também não te condeno. Vai, e de agora em diante não peques mais" (8, 11).

Francisco, referindo-se aos escribas e fariseus que arrastaram a mulher para apedrejá-la perante o Nazareno, disse: "Também nós, por vezes, gostamos de bater nos outros, condenar os outros". O primeiro e único passo necessário para experimentar a misericórdia, acrescentou o Papa, é reconhecer que necessitamos de misericórdia: "Jesus vem em nosso auxílio quando reconhecemos que somos pecadores". Basta não imitar aquele fariseu que, estando diante do altar, agradecia a Deus por não ser pecador "como todos os outros homens". Se formos como aquele fariseu, se nos considerarmos justos, "não conheceremos o coração do Senhor e nunca teremos a alegria de sentir esta misericórdia!", explicou o novo Bispo de Roma. Quem está habituado a julgar os outros a partir de cima, julgando-se perfeito, quem normalmente se considera justo, bom e correto, não sente a necessidade de ser abraçado e perdoado. E existem aqueles que sentem esta necessidade, mas acham que são um caso perdido por todo o mal que cometeram.

A este propósito Francisco contou a conversa que teve com um homem que, ouvindo essas palavras sobre a misericórdia, respondeu: "Ah, padre, se o senhor conhecesse a minha vida, não falaria assim! Cometi erros muito graves!".

Esta foi a sua resposta: "Melhor assim! Agora vá até Jesus: Ele vai gostar de ouvir o que você tem para Lhe contar! Ele esquece; Ele tem uma especial capacidade para se esquecer. Esquece, beija, abraça e lhe diz apenas: 'Nem eu o condeno; vá e de hoje em diante não peque mais'. Apenas lhe dá aquele velho conselho. Passado um mês, se estivermos nas mesmas condições... Voltemos ao Senhor. O Senhor jamais se cansa de perdoar: jamais! Somos nós que nos cansamos de Lhe pedir perdão. Então, devemos pedir a graça de não nos cansarmos de pedir perdão, porque Ele jamais se cansa de perdoar".

Daquela primeira homilia de Francisco, que me impressionou bastante, brotava a centralidade da mensagem da misericórdia que iria caracterizar esses primeiros anos de pontificado. Palavras simples e profundas. O rosto de uma Igreja que não joga na cara das pessoas as suas fragilidades e feridas, mas as cura com o remédio da misericórdia.

Vivemos numa sociedade que nos leva, cada vez menos, a reconhecer e assumir as nossas responsabilidades: na realidade, sempre são os outros que erram. Os imorais são sempre os outros, a culpa é sempre de outra pessoa, nunca nossa. E às vezes vivemos a experiência de certo clericalismo de retorno às coisas antigas, totalmente concentrado em traçar limites, em "regularizar" a vida das pessoas através da imposição de pré-requisitos e proibições que pesam no nosso já cansativo cotidiano. Uma atitude mais disposta a condenar do que acolher. Sempre mais concentrada em julgar do que em inclinar-se com compaixão perante as misérias da humanidade. A mensagem da misericórdia – coração daquela espécie de "primeira encíclica" não escrita, mas presente na breve homilia do novo papa – derrubava de uma só vez vários clichês.

Passado pouco mais de um ano, em 7 de abril de 2014, Francisco voltou a comentar o mesmo trecho durante a missa matinal na capela da Casa Santa Marta, confessando-se profundamente tocado por esta página do Evangelho: "Deus perdoa não com um decreto, mas com um gesto de carinho". E com a misericórdia "Jesus vai para além da lei e perdoa, acariciando as feridas dos nossos pecados".

"As leituras bíblicas de hoje", explicou o Papa, "nos falam do adultério", que, como a blasfêmia e a idolatria, era considerado "um pecado muito grave na Lei de Moisés", punido "com a pena de morte" por apedrejamento. Na passagem extraída do oitavo capítulo de João, o Papa ressaltou: "Encontramos Jesus ali sentado, em meio a tanta gente, como catequista a ensinar". Depois, "aproximaram-se os escribas e os fariseus que empurravam uma mulher à sua frente, talvez com as mãos atadas, poderíamos imaginar. E, assim, colocaram-na no meio de todos e acusaram-na: 'Eis aqui uma adúltera!'". Ela foi acusada publicamente. O Evangelho diz que fizeram uma pergunta a Jesus: "O que devemos fazer com esta mulher? Tu nos fala de bondade, mas Moisés nos disse que devemos matá-la". "Diziam isso", lembrava Francisco, "para colocá-lo à prova, para ter um motivo para acusá-lo." De fato, se Jesus tivesse dito a eles: "Sigam em frente com o apedrejamento", seria a oportunidade para eles dizerem ao povo: "Mas este é o vosso profeta tão bondoso? Vejam o que ele fez a esta pobre mulher!". Mas se Jesus dissesse: "Não, pobrezinha, precisamos perdoá-la!", poderiam acusá-lo de "não cumprir a Lei".

O seu único objetivo, explicou ainda o papa Bergoglio, era "pôr à prova, armar uma armadilha" para Jesus. "Eles não se importavam com a mulher; não se importavam com os adultérios." Aliás, "pode ser até que alguns deles fossem adúlteros". E foi então que Jesus, que queria "ficar sozinho com a mulher e falar-lhe ao coração", respondeu: "Quem de vós estiver sem pecado, atire a primeira pedra!". E "o povo foi indo embora lentamente" depois de ter ouvido aquelas palavras. "O Evangelho, com certa ironia, diz que todos foram embora, um a um, a começar pelos mais velhos: logo se vê que no banco do céu estavam com saldo negativo." Chega, então, o momento "de Jesus confessor". Fica "sozinho com a mulher", que permanece "lá em praça pública". Enquanto isso, "Jesus havia se inclinado e escrevia com o dedo no pó da terra. Alguns exegetas dizem que Jesus estava escrevendo os pecados daqueles escribas e fariseus", mas "talvez seja apenas uma fantasia". Depois "levantou-se e olhou" para a mulher, que estava "cheia de vergonha, e lhe disse: 'Mulher, onde estão eles? Ninguém a condenou? Estamos sozinhos, você e eu. Você diante de Deus. Sem acusações, sem palavras inúteis: você e Deus'".

A mulher – dizia Francisco naquela homilia – não se proclama vítima de "uma falsa acusação" nem se defende, afirmando: "Não cometi adultério". Não, "ela reconhece o seu pecado" e responde a Jesus: "Ninguém, Senhor, me condenou". Por sua vez, Jesus lhe diz: "Nem eu te condeno. Vá, e de agora em diante não torne a pecar". Então, concluiu Francisco: "Jesus perdoa. Mas existe aqui mais do que o simples perdão. Porque, como confessor, Jesus vai para além da Lei". De fato, "a Lei estabelecia que ela deveria ser punida". Além disso, Jesus "era puro e poderia ter atirado a primeira pedra". Mas Cristo "vai além. Não diz a ela que o adultério não é pecado, mas não a condena com a Lei". É exatamente este "o mistério da misericórdia de Jesus".

Para "fazer misericórdia", Jesus ultrapassa "a Lei que a condenava ao apedrejamento". Tanto que diz à mulher para ir em paz. "A misericórdia", explicou o Bispo de Roma naquela pregação matinal, "é algo difícil de entender: não apaga os pecados", porque o que apaga os pecados "é o perdão de Deus". Mas "a misericórdia é a maneira com a qual Deus perdoa".

Porque "Jesus podia dizer: eu te perdoo, vai! Como dissera àquele paralítico: os teus pecados estão perdoados!". Neste caso, "Jesus vai além e aconselha a mulher a nunca mais pecar. E aqui se vê a atitude misericordiosa de Jesus: defende o pecador dos inimigos, defende o pecador de uma condenação justa".

Isto, acrescentava Francisco, "é válido também para nós". "Quantos de nós talvez merecêssemos uma condenação! E seria inclusive justa. Mas Ele perdoa!" Como? "Com a misericórdia, que não apaga o pecado: é apenas o perdão de Deus que o apaga, enquanto a misericórdia vai além." É "como o céu: contemplamos o firmamento com tantas estrelas, mas quando nasce o sol, com toda a sua luz, as estrelas não podem mais ser vistas. Assim é a misericórdia de Deus: uma grande luz de amor e de ternura, porque Deus não perdoa com um decreto, mas com uma carícia". Perdoa "acariciando as nossas feridas de pecado, porque ele é o todo perdão, comprometido com a nossa salvação".

Com este estilo, concluía o Papa Francisco, Jesus é o confessor. Não humilha a mulher adúltera, não lhe diz: "O que você fez? Quando fez isso? Como foi que aconteceu? Com quem?!". Pelo contrário, diz a ela "para ir embora e não pecar mais. É grande a misericórdia de Deus, é grande a misericórdia de Jesus: perdoa nos acariciando".

O Jubileu da Misericórdia é uma consequência dessa mensagem e da centralidade que sempre teve na pregação de Francisco. No dia 13 de março de 2015, enquanto escutava a homilia da liturgia penitencial no fim da qual o Papa iria anunciar a proclamação do Ano Santo extraordinário, pensei: seria muito bom poder fazer-lhe algumas perguntas centradas nos temas da misericórdia e do perdão, para aprofundar que significado tinham aquelas palavras para ele, como homem e como sacerdote. Sem a preocupação de obter alguma frase marcante que entrasse no debate midiático em torno do sínodo sobre a família, muitas vezes reduzido a uma competição entre torcidas rivais, sem entrar na casuística. Gostava da ideia de uma entrevista que fizesse emergir o coração de Francisco, o seu olhar. Um texto que deixasse abertas as portas num tempo como este do Jubileu, durante o qual a Igreja pretende mostrar de modo especial, e ainda mais significativo, o rosto da misericórdia.

O Papa aceitou a proposta. Este livro é o fruto de uma conversa iniciada nos seus aposentos, na Casa Santa Marta, no Vaticano, no calor de uma tarde de julho de 2015, poucos dias depois do seu retorno da viagem ao Equador, Bolívia e Paraguai. Com pouca antecedência, enviei uma lista de assuntos e perguntas que desejava abordar. No dia marcado, levei três gravadores. Francisco me esperava tendo diante de si, sobre sua escrivaninha, uma Concordância Bíblica e dos Padres da Igreja. Nas próximas páginas, você poderá ler o conteúdo dessa conversa.

Espero que o entrevistado não me leve a mal se eu revelar um aspecto dos bastidores que me parece muito significativo. Falávamos da dificuldade em nos reconhecer pecadores, e, no primeiro esboço que eu havia preparado, Francisco afirmava: "O remédio existe; a cura acontece se dermos apenas um pequeno passo em direção a Deus". Após reler o texto, ele me chamou ao telefone, pedindo para acrescentar: "[...] ou se, pelo menos, tivermos a vontade de dar esse passo", uma expressão que eu havia desastradamente deixado de lado no trabalho de síntese. Nesta alteração, ou melhor, neste texto corretamente restaurado, revela-se todo o coração do pastor que procura configurar-se ao coração misericordioso de Deus e não despreza nenhum esforço para alcançar o pecador. Não descuida de nenhuma abertura, por menor que seja, para poder conceder o perdão. Deus nos espera de braços abertos, basta dar um passo em Sua direção, como o filho pródigo. Mas se não tivermos forças nem mesmo para isso, por sermos muito fracos, será suficiente o desejo de dar este passo. Já é um começo suficiente, para que a graça possa atuar e a misericórdia seja concedida, de acordo com a experiência de uma Igreja que não se concebe como uma "alfândega", mas procura todos os caminhos possíveis para perdoar.

Algo semelhante se encontra numa página do romance de Bruce Marshall, A *ogni uomo un soldo* [A cada homem, o seu salário, em tradução literal]. O protagonista do livro, Padre Gaston, devia atender a confissão de um jovem soldado alemão que os combatentes da resistência francesa estavam para condenar à morte. O soldado confessou sua paixão pelas mulheres e suas numerosas aventuras amorosas. O sacerdote explicou que ele deveria se arrepender para obter o perdão e a absolvição. E ele respondeu: "Como faço para me arrepender? Era uma coisa de que eu gostava e, se tivesse oportunidade, faria de novo. Como faço para me arrepender?". Então, Padre Gaston, que queria absolver aquele penitente marcado pelo destino e que se encontrava às portas da morte, teve uma ideia genial e perguntou: "Você ao menos lamenta por não se arrepender?". E o jovem, espontaneamente, retrucou: "Sim, lamento por não me arrepender". Ou seja, me desagrada não estar arrependido. Aquele lamento foi uma pequena abertura que permitiu ao sacerdote misericordioso conceder a absolvição.

Andrea Tornielli

O nome
de Deus
é Misericórdia

I
Tempo de misericórdia

Santo Padre, pode nos dizer como nasceu o desejo de realizar um Jubileu da Misericórdia? De onde lhe veio essa inspiração?

Não se deve a um fato particular ou preciso. As coisas me ocorrem espontaneamente, são coisas do Senhor, cultivadas na oração. Sou acostumado a nunca confiar na primeira reação que tenho perante uma ideia que me vem ou uma proposta que me é feita. Nunca confio, até porque, em geral, a primeira reação é equivocada. Aprendi a esperar, a confiar no Senhor, a pedir a Sua ajuda, para poder discernir melhor, para me deixar guiar.

A centralidade da misericórdia, que para mim representa a mensagem mais importante de Jesus, posso dizer que cresceu pouco a pouco na minha vida sacerdotal, em consequência da minha experiência como confessor, das tantas histórias positivas e belas que conheci.

Já em julho de 2013, a poucos meses do início do seu pontificado, durante a viagem de regresso do Rio de Janeiro, onde se havia celebrado a Jornada Mundial da Juventude, o senhor disse que o nosso tempo atual é o "tempo da misericórdia".

Sim, acredito que este é o tempo da misericórdia. A Igreja mostra o seu rosto materno, o seu rosto de mãe à humanidade ferida. Não espera que os feridos batam à sua porta, vai à procura deles pela rua, acolhe, abraça, cuida, e faz com que se sintam amados. Disse naquela época e estou cada vez mais convencido de que isto é um *kairós*; a nossa época é um *kairós* de misericórdia, um tempo oportuno. Abrindo solenemente o Concílio Ecumênico Vaticano II, São João XXIII disse que a "Esposa de Cristo prefere usar o remédio da misericórdia em vez de empunhar as armas do rigor". No seu *Pensamento sobre a morte*, o beato Paulo VI revelava o fundamento da sua vida espiritual na síntese proposta por Santo Agostinho: miséria e misericórdia. "Miséria minha" – escrevia o papa Montini – "misericórdia de Deus. Que eu possa pelo menos honrar quem Tu és, o Deus de infinita bondade, invocando, aceitando, celebrando a Tua dulcíssima misericórdia". São João Paulo II seguiu esse caminho por meio da encíclica *Dives in misericordia*, na qual afirmou que a Igreja vive uma vida autêntica quando professa e proclama a misericórdia, o mais maravilhoso atributo do Criador e do Redentor, e quando aproxima as pessoas das fontes da misericórdia. Além disso, instituiu a festa da "Divina Misericórdia" e valorizou a figura da Santa Faustina Kowalska, e as palavras de Jesus sobre misericórdia. Também o Papa Bento XVI falou sobre isso no seu magistério: "A misericórdia é na verdade o núcleo central da mensagem evangélica", afirmou, "é o próprio nome de Deus, o rosto com o qual Ele se revelou na antiga aliança e plenamente em Jesus Cristo, encarnação do Amor criador e redentor. Este amor de misericórdia ilumina também o rosto da Igreja e se manifesta seja pelos sacramentos, em especial o da reconciliação, seja pelas obras de caridade, comunitárias e individuais. Tudo o que a Igreja diz e faz manifesta a misericórdia que Deus nutre pela humanidade".

Mas em minhas recordações pessoais existem ainda muitos outros episódios. Por exemplo, antes de chegar aqui, quando estava em Buenos Aires, ficou gravada na minha memória uma mesa-redonda entre teólogos: se discutia o que o Papa poderia fazer para aproximar as pessoas, perante tantos problemas que pareciam sem solução. Um deles disse: "Um Jubileu do perdão". Isso ficou na minha mente. E, assim, para responder à sua pergunta, acho que a decisão surgiu através da oração, pensando no ensinamento e no testemunho dos Papas que me precederam, e pensando na

Igreja como um hospital de campanha, onde se curam prioritariamente as feridas mais graves. Uma Igreja que aqueça o coração das pessoas com sua presença e proximidade.

Para o senhor, o que é a misericórdia?

Etimologicamente, misericórdia significa abrir o coração ao miserável. E vamos logo ao Senhor: misericórdia é a atitude divina que abraça, é o doar-se de Deus que acolhe, que se dedica a perdoar. Jesus disse que não veio para os justos, mas para os pecadores. Não veio para os sadios, que não precisam de médico, mas para os doentes. Por isso, pode-se dizer que a misericórdia é a carteira de identidade do nosso Deus. Deus de misericórdia, Deus misericordioso. Para mim esta é de fato a carteira de identidade do nosso Deus. Sempre me impressionou ler a história de Israel como é contada na Bíblia, no capítulo 16 do Livro de Ezequiel. A história compara Israel a uma menina cujo cordão umbilical não foi cortado e que foi deixada em meio ao sangue, abandonada. Deus a viu se debatendo no sangue, a limpou, a ungiu, a vestiu e, quando ela cresceu, a adornou com sedas e joias. Mas ela, inebriada pela sua própria beleza, se prostituiu, não cobrando, mas pagando ela própria aos seus amantes. No entanto, Deus não esquecerá a sua aliança e a colocará acima das suas irmãs mais velhas, para que Israel se recorde e se envergonhe (Ezequiel 16, 63), quando lhe for perdoado o que fez.

Esta é para mim uma das revelações mais importantes: continuarás a ser o povo eleito, serão perdoados todos os teus pecados. Conclusão: a misericórdia está profundamente ligada à fidelidade de Deus. O Senhor é fiel porque não pode negar a si mesmo. São Paulo explica isso muito bem na Segunda Carta a Timóteo (2, 13): "Se lhe somos infiéis, ele, no entanto, permanece fiel, pois não pode negar-se a si mesmo". Você pode renegar a Deus, você pode pecar contra Ele, mas Deus não poderá renegar-se a si próprio, Ele permanece fiel.

Que lugar e que significado tem a misericórdia no seu coração, na sua vida e na sua história pessoal? Recorda de quando teve, na infância, sua primeira experiência da misericórdia?

Posso ler a minha vida através do capítulo 16 do Livro do profeta Ezequiel. Leio aquelas páginas e digo: mas tudo isso parece escrito para mim. O profeta fala da vergonha, e a vergonha é uma graça: quando alguém sente a misericórdia de Deus, tem uma grande vergonha de si mesmo, do seu pecado. Existe um interessante ensaio de um grande estudioso da espiritualidade, Padre Gaston Fessard, dedicado à vergonha, no seu livro *La dialectique des exercices spirituels de Saint Ignace de Loyola* [A dialética dos exercícios espirituais de Santo Inácio de Loyola, em tradução literal]. A vergonha é uma das graças que Santo Inácio nos aconselha a pedir na confissão dos pecados perante o Cristo crucificado. Aquele texto de Ezequiel ensina a se sentir envergonhado, faz com que possamos nos envergonhar:

com toda a nossa história de miséria e de pecado, Deus permanece fiel a nós e nos ajuda a levantar. Sinto isso.

Não tenho nenhuma recordação especial de quando era criança. Mas de quando era jovem, sim. Penso no Padre Carlos Duarte Ibarra, o confessor que encontrei na minha paróquia em 21 de setembro de 1953, no dia em que a Igreja celebra São Mateus apóstolo e evangelista. Tinha dezessete anos. Senti-me acolhido pela misericórdia de Deus quando me confessei com ele. Aquele sacerdote era originário de Corrientes e estava em Buenos Aires para se tratar de uma leucemia. Morreu no ano seguinte. Ainda me lembro que, depois do seu funeral e do seu sepultamento, quando voltava para casa, senti como se tivesse sido abandonado. E chorei tanto naquela noite, tanto, escondido em meu quarto. Por quê? Porque havia perdido uma pessoa que me fazia sentir a misericórdia de Deus, aquele "miserando atque eligendo", uma expressão que naquela ocasião ainda não conhecia e que depois escolhi como lema episcopal. Viria a encontrá-la posteriormente nas homilias do monge inglês São Beda, o Venerável, que, descrevendo a vocação de Mateus, escreve: "Jesus viu um publicano e, no exato momento em que olhou para ele com sentimento de amor e o escolheu, disse-lhe: 'Segue-me'". Esta é a tradução que normalmente se faz da expressão de São Beda. Gosto de traduzir miserando com um gerúndio que não existe – "misericordiando", isto é, dando-lhe misericórdia. Então, "misericordiando-o e escolhendo-o" para descrever o olhar de Jesus que oferece misericórdia e escolhe, leva consigo.

Quando pensa em padres misericordiosos que conheceu ou nos quais se inspirou, quem lhe vem na mente?

São tantos. Já recordei o Padre Duarte. Posso citar o Padre Enrico Pozzoli, salesiano, que me batizou e casou os meus pais. Era o confessor. O confessor misericordioso: todos se dirigiam a ele e ele passava pelas casas dos salesianos atendendo confissões. Encontrei muitos confessores assim. Lembro-me de outro grande confessor, mais novo do que eu, um padre capuchinho, que exercia o seu ministério em Buenos Aires. Uma vez me procurou para conversar. Ele me disse: "Queria te pedir ajuda; tenho sempre tantas pessoas na fila do confessionário, pessoas de todos os tipos, humildes e menos humildes, mas também muitos padres... Eu perdoo muito e às vezes sinto o escrúpulo de ter perdoado demais". Conversamos sobre a misericórdia, e eu lhe perguntei o que fazia quando sentia aquele escrúpulo. Ele me respondeu assim: "Vou até a nossa capelinha, diante do sacrário, e digo a Jesus: 'Senhor, perdoa-me, porque perdoei demais. Mas foi o senhor que me deu o mau exemplo!'". Isto eu jamais esquecerei. Quando um sacerdote vive assim a misericórdia a si mesmo, pode concedê-la aos outros.

Li uma homilia do então Cardeal Albino Luciani sobre o Padre Leopoldo Mandic pouco depois de ser proclamado beato por Paulo VI. Ele descreveu algo que se aproxima muito do que acabei de contar: "Sim, todos somos pecadores – dizia Luciani naquela ocasião – o

Padre Leopoldo o sabia muito bem. É necessário tomar consciência desta nossa triste realidade. Ninguém pode evitar as falhas pequenas ou grandes. 'Mas', como dizia São Francisco de Sales, 'se você está montado num burro e no caminho ele se desvia para cima da calçada, o que deve fazer? Claro que não vai cutucar suas costelas com o bastão, pois o pobre animal já está numa triste situação. É necessário que o segure pelas rédeas e diga: Coragem! Vamos voltar para a estrada. Agora vamos retomar o caminho; da próxima vez terás mais cuidado'. Esse é o sistema, e o Padre Leopoldo o aplicou na íntegra. Um sacerdote amigo meu, que se confessava com ele, comentou: 'Padre, o senhor é generoso demais. Eu me confesso de bom grado com o senhor, mas me parece generoso demais'. E o Padre Leopoldo: 'Mas quem tem sido generoso demais, meu filho? Nosso Senhor é que foi generoso; não fui eu quem morreu pelos pecados, foi Nosso Senhor quem morreu pelos pecados. Foi mais que generoso com o ladrão e com os outros como podia ser!". Esta foi a homilia do então

Cardeal Luciani sobre Leopoldo Mandic, depois proclamado santo por João Paulo II.

Posso ainda citar outra figura significativa para mim, o Padre José Ramón Aristi, sacramentino, que já recordei uma vez no encontro com os Padres de Roma. Morreu com mais de noventa anos, em 1996. Também ele foi um grande confessor; muitas pessoas, inclusive muitos padres, o procuravam. Quando atendia uma confissão, dava aos penitentes o seu rosário para que segurassem na pequena cruz; depois a utilizava para absolvê-los e por fim os convidava a beijá-la. Quando morreu, ao entardecer do Sábado Santo, eu era bispo auxiliar de Buenos Aires. Fui até ele no dia seguinte, Domingo de Páscoa, depois do almoço, e desci à cripta da igreja. Logo me dei conta de que não havia flores ao lado do seu túmulo. Saí e fui procurar alguns ramos fora; depois voltei e comecei a organizar o ambiente. Foi então que vi aquele rosário entrelaçado em suas mãos: retirei a pequena cruz e, olhando para ele, pedi: "Dê-me metade de sua misericórdia!". Desde então, aquela pequena cruz anda sempre comigo, no meu peito. Quando tenho um mau pensamento em relação a uma pessoa, aproximo a mão e toco na cruz: isso me faz bem. Aqui está outro exemplo de padre misericordioso, que sabia aproximar-se das pessoas e curar as feridas, concedendo a misericórdia de Deus.

Por que razão, segundo o senhor, este nosso tempo e a nossa humanidade precisam tanto de misericórdia?

Porque é uma humanidade ferida, uma humanidade que possui feridas profundas. Não sabe como curá-las ou acredita que não é possível curá-las. E não são apenas as doenças sociais e as pessoas feridas pela pobreza, pela exclusão social, pelas inúmeras escravidões do terceiro milênio. Também o relativismo fere muitas pessoas: tudo parece igual, tudo parece o mesmo. A humanidade precisa de misericórdia. Pio XII, há mais de meio século, disse que o drama da nossa época era termos perdido o sentido do pecado, a consciência do pecado.

A isso se acrescenta atualmente o problema de considerar o nosso mal, o nosso pecado, como incurável, como algo que não pode ser curado e perdoado. Falta a experiência concreta da misericórdia. A fragilidade dos tempos em que vivemos é também esta: acreditar que não existe a possibilidade de redenção, alguém que nos dá a mão que nos levanta, um abraço que nos salva, perdoa, anima, que nos inunda de um amor infinito, paciente, indulgente; que nos coloca de novo nos trilhos.

Precisamos de misericórdia. Temos de nos perguntar por que tantas pessoas, homens e mulheres, jovens e idosos de todas as classes sociais, recorrem hoje a adivinhos e a cartomantes. O Cardeal Giacomo Biffi citava essas palavras do escritor inglês Gilbert Keith Chesterton: "Quem não crê em Deus não quer dizer que não acredita em nada, porque começa a acreditar em tudo". Uma vez ouvi uma pessoa dizer: "No tempo da minha avó bastava o confessor; hoje, muitas pessoas vão aos cartomantes…". Hoje, procura-se a salvação em tudo que é lugar.

Porém, esses fenômenos que o senhor menciona, como os adivinhos e os cartomantes, sempre existiram na história da humanidade.

Sim, claro, sempre existiram adivinhos, magos e cartomantes. Mas não havia tantas pessoas que procuravam neles a saúde e a cura espiritual. As pessoas procuram, sobretudo, alguém que as escute; alguém disposto a dar seu tempo para ouvir os seus dramas e as suas dificuldades. É o que eu chamo "o apostolado do ouvido", e é importante. Muito importante. Tenho que dizer aos confessores: falem, escutem com paciência e, antes de tudo, digam às pessoas que Deus quer o seu bem. E se o confessor não pode absolver, que explique por que, mas que não deixe de dar uma bênção, mesmo sem absolvição sacramental. O amor de Deus existe também para aquele que não está em condições de receber o sacramento; também aquele homem ou aquela mulher, aquele jovem ou aquela moça são amados por Deus, são procurados por Deus, desejosos de bênção. Sejam afetuosos com essas pessoas. Não as afastem. As pessoas sofrem. Ser confessor é uma grande responsabilidade. Os confessores têm à sua frente as ovelhas perdidas que Deus ama tanto; se não lhes demonstrarmos o amor e a misericórdia de Deus, afastam-se e talvez nunca mais voltem. Por isso, os abracem e sejam misericordiosos, mesmo que não possam absolvê-los. Deem ao menos uma bênção.

Tenho uma sobrinha que se casou no civil com um homem antes de ele obter a declaração canônica de que seu primeiro casamento havia sido nulo. Queriam se casar, se amavam, desejavam ter filhos, e tiveram três. Inclusive a justiça civil havia lhe confiado a guarda dos filhos do primeiro casamento. Seu marido era tão religioso que todos os domingos quando ia à missa, procurava o confessionário e dizia ao sacerdote: "Sei que o senhor não pode me absolver, mas pequei nisto e naquilo, ao menos me dê uma bênção". Este é um homem religiosamente formado.

II
A graça da confissão

Por que é importante se confessar? O senhor foi o primeiro papa a fazê-lo publicamente durante as liturgias penitenciais do tempo da Quaresma, na Basílica de São Pedro... Mas não seria suficiente, no fundo, arrepender-se e pedir perdão, quando estivesse sozinho, perante Deus?

Foi Jesus quem disse aos apóstolos: "A quem perdoardes os pecados, serão perdoados; a quem os retiverdes, lhes serão retidos". (Evangelho de João 20, 23). Então, os apóstolos e os seus sucessores – os bispos e os sacerdotes seus colaboradores – tornam-se instrumentos da misericórdia de Deus. Agem *in persona Christi*. É muito bonito isso. Tem um profundo significado, porque nós somos seres sociais. Se você não for capaz de falar sobre seus erros com o seu irmão, pode estar certo que não será capaz de falar com Deus, e assim acabará por se confessar com o espelho, diante de si mesmo. Somos seres sociais, e o perdão tem também um lado social, porque a humanidade, os meus irmãos e irmãs, a sociedade, também são feridos pelo meu pecado.

Confessar-se com um sacerdote é uma forma de colocar a minha vida nas mãos e no coração de outra pessoa, que naquele momento age no lugar e em nome de Jesus. É um modo de sermos concretos e autênticos: estarmos perante a realidade, olhando para outra pessoa, e não ver apenas a si mesmo refletido em um espelho. Santo Inácio, antes de mudar de vida e de compreender que devia ser soldado de Cristo, havia combatido na Batalha de Pamplona. Integrava o exército do rei da Espanha, Carlos V de Habsburgo, e lutara contra o exército francês. Quando ficou gravemente ferido, pensou que ia morrer. Naquele momento não havia nenhum padre no campo de batalha. Ele então chamou um companheiro e confessou-se com ele, contando-lhe os seus pecados. O companheiro não podia absolvê-lo, pois era um leigo, mas a necessidade de estar perante outra pessoa no momento da confissão era tão grande que decidiu agir daquela forma. É uma bela lição.

   É verdade que eu posso falar com o Senhor, pedir-lhe o perdão imediato, implorar-lhe. E o Senhor perdoa, imediatamente. Mas é importante que eu vá ao confessionário, que me coloque diante de um sacerdote que personifica Jesus, que me ajoelhe perante a Mãe Igreja, chamada a distribuir a misericórdia de Deus. Existe uma objetividade neste gesto, na minha genuflexão perante o padre que naquele momento é o canal da graça que me toca e me cura. Sempre me comoveu aquele gesto da tradição das Igrejas orientais, quando o confessor acolhe o penitente, colocando a estola sobre a sua cabeça e um braço em volta do ombro, como se o abraçasse. É uma representação plástica de acolhida e de misericórdia. É bom lembrar que não estamos ali em primeiro lugar para sermos julgados. É verdade que existe um julgamento na confissão, mas existe algo mais importante do que o julgamento. É o estar perante outra pessoa que age *in persona Christi* para acolher e perdoar você. É o encontro com a misericórdia.

O que o senhor pode nos dizer sobre a sua experiência como confessor? Pergunto porque parece uma experiência que marcou profundamente a sua vida. Na primeira missa celebrada com os fiéis após a sua eleição, na paróquia de Santa Ana, em 17 de março de 2013, o senhor falou daquele homem que dizia: "É, padre, fiz coisas muito graves…". E ao qual respondeu: "Vá até Jesus; ele perdoa e esquece tudo". Nessa mesma homilia recordava que Deus nunca se cansa de perdoar. Pouco depois, no Angelus, lembrou o episódio da idosa que lhe dissera, confessando-se, que sem a misericórdia de Deus o mundo não existiria.

Lembro-me muito bem desse episódio que ficou bem marcado na minha memória. Parece que ainda estou vendo aquela senhora idosa, pequena, muito pequena, vestida de preto, como se vê em algumas pequenas cidades do sul da Itália, na Galícia e em Portugal. Havia recém me tornado bispo auxiliar de Buenos Aires e estava sendo celebrada uma grande missa para os enfermos, na presença da imagem de Nossa Senhora de Fátima. Estava ali para atender confissões. Pouco antes do final da missa levantei-me para sair, pois precisava celebrar uma crisma. Nesse momento, chegou aquela senhora idosa e humilde. Fui ao seu encontro chamando-a de *abuela*, ou seja, vovó, como é habitual na Argentina. "Vovó, a senhora quer confessar-se?" "Sim", ela respondeu. E eu, que já ia embora, disse-lhe: "Mas se a senhora não tem pecados…". Foi rápida e direta a sua resposta: "Todos nós temos pecados". "Mas talvez Nosso Senhor não os perdoe…", repliquei. E ela: "O Senhor perdoa tudo". "Como a senhora sabe?" "Se o Senhor não perdoasse tudo –, foi a sua resposta – o mundo não existiria."

Este é um exemplo da fé dos simples, que têm a ciência infusa, embora nunca tenham estudado teologia. Durante aquele primeiro *Angelus*, disse, para me fazer entender, que a minha resposta havia sido: "Mas a senhora estudou na Gregoriana!". Na realidade, a verdadeira resposta foi: "Mas a senhora estudou com Royo Marín!". Uma referência ao padre dominicano Antonio Royo Marín, autor de um famoso livro de teologia moral. Fiquei impressionado com as palavras daquela mulher: sem a misericórdia, sem o perdão de Deus, o mundo não existiria, não poderia existir. Como confessor, mesmo quando me deparei com uma porta fechada, procurei sempre uma abertura, uma fresta, para abrir aquela porta e poder conceder o perdão, a misericórdia.

Certa ocasião o senhor afirmou que o confessionário não deve ser uma "lavanderia". O que queria dizer?

Era um exemplo, uma imagem para ilustrar a hipocrisia dos que acreditam que o pecado é uma mancha, apenas uma mancha, que basta ir à lavanderia, para lavar a seco e tudo fica como antes. Tal como se tira a mancha de um casaco ou de um vestido: põe-se na máquina de lavar e pronto! Mas o pecado é mais do que uma mancha. O pecado é uma ferida, que deve ser curada, medicada. Por isso, usei essa expressão; procurava explicar que fazer uma confissão não é como levar as roupas na lavanderia.

Cito outro exemplo retirado de suas palavras. O que significa que o confessionário não deve ser uma "sala de tortura"?

Essas palavras eram dirigidas aos sacerdotes, aos confessores. E se referiam ao fato de que, às vezes, pode existir em alguns um excesso de curiosidade, uma curiosidade um pouco doentia. Certa ocasião ouvi de uma senhora, casada há muito anos, que não se confessava mais porque quando tinha treze ou catorze anos, o confessor lhe perguntara onde colocava as mãos enquanto dormia. Pode haver um excesso de curiosidade, sobretudo em matéria sexual. Ou, então, uma insistência em querer explicitar pormenores que não são necessários. Aquele que se confessa tem de se envergonhar do pecado: a vergonha é uma graça que devemos pedir, é um fator positivo, porque nos torna humildes. Mas no diálogo com o confessor é preciso ser ouvido e não interrogado. Depois, o confessor nos diz o que tem de dizer, aconselhando com delicadeza. Foi isso o que quis dizer ao afirmar que os confessionários não devem ser jamais salas de tortura.

Jorge Mario Bergoglio foi um confessor severo ou indulgente?

Sempre procurei dedicar tempo às confissões, mesmo como bispo ou cardeal. Agora confesso menos, mas ainda o faço. Às vezes, gostaria de entrar numa igreja e sentar-me ainda no confessionário. Mas para responder à sua pergunta: sempre que atendi confissões olhei primeiro para mim mesmo, para os meus pecados, para minha necessidade de misericórdia e, assim, procurei perdoar muito.

III
Procurar todas as brechas

O que é preciso para obter a misericórdia?
É necessária alguma predisposição?

Lembro-me desta frase: "Não suporto mais!". Chega um ponto em que você precisa ser compreendido, ser cuidado, ser curado, perdoado. Você tem necessidade de se reerguer para retomar o caminho. Diz o salmo: "Sacrifício para Deus é um espírito contrito; não desprezas, ó Deus, um coração contrito e humilhado (Salmos 50, 19)". Santo Agostinho escreveu: "Procure no seu coração o que é agradável a Deus. É necessário quebrar minuciosamente o coração. Você tem medo que ele morra por ficar despedaçado? Na boca do salmista você encontra esta expressão: 'Criai em mim, ó Deus, um coração puro' (Salmos 50, 12). Ou seja, deve ser destruído o coração impuro para que seja criado o puro. Quando pecamos, devemos ficar descontentes conosco mesmos, porque os pecados desagradam a Deus. E assim constatamos que não estamos livres de pecado; pelo menos nisto tentamos ser semelhantes a Deus: no desagradar-nos daquilo que desagrada a Deus (Sermões 19, 2-3)". Os padres da Igreja ensinam que esse coração despedaçado é a oferenda mais agradável a Deus. É o sinal de que estamos conscientes do nosso pecado, do mal que fizemos, da nossa miséria, da nossa necessidade de perdão, de misericórdia.

Como fazemos para nos reconhecer pecadores? O que diria a alguém que não se sente dessa forma?

Eu aconselharia a pedir essa graça! Sim, porque até o reconhecer-se pecador é uma graça. É uma graça que nos é dada. Sem a graça, no máximo podemos dizer: sou limitado, tenho meus limites, estes são os meus erros. Mas reconhecer-se pecador é outra coisa. Significa nos colocarmos perante Deus, que é o nosso tudo, apresentando-lhe nós mesmos, ou seja, o nosso nada; as nossas misérias, os nossos pecados. É realmente uma graça que se deve pedir.

Dom Luigi Giussani citava um exemplo, tirado do romance de Bruce Marshall,
A ogni uomo un soldo [A cada homem, o seu salário, em tradução literal]. O Padre Gaston, protagonista do livro, devia atender a confissão de um jovem soldado alemão que os combatentes da resistência francesa estavam para condenar à morte. O soldado confessou sua paixão pelas mulheres e suas numerosas aventuras amorosas. O sacerdote explicou que ele deveria se arrepender para obter o perdão

e a absolvição. E ele respondeu: "Como faço para me arrepender? Era uma coisa de que eu gostava e se tivesse oportunidade faria de novo. Como faço para me arrepender?". Então, Padre Gaston, que queria absolver aquele penitente marcado pelo destino e que se encontrava às portas da morte, teve uma ideia genial e perguntou: "Você ao menos lamenta por não se arrepender?". E o jovem espontaneamente retrucou: "Sim, lamento por não me arrepender". Ou seja, me desagrada não estar arrependido. Aquele lamento foi uma pequena abertura que permitiu ao sacerdote misericordioso conceder a absolvição.

É verdade; é exatamente assim. Este é um exemplo que representa bem as tentativas que Deus põe em prática para abrir uma brecha no coração do homem, para encontrar aquela fresta, aquela abertura que permita a ação da sua graça. Ele não quer que ninguém se perca. A sua misericórdia é infinitamente maior do que o nosso pecado: o seu remédio é infinitamente mais poderoso do que a doença que devemos curar. Existe um prefácio da liturgia ambrosiana no qual se lê: "O Senhor se inclinou sobre as nossas feridas e nos curou, dando-nos um remédio mais forte do que as nossas chagas, uma misericórdia maior do que a nossa culpa. Assim também o pecado, em virtude do Seu invencível amor, serviu para nos elevar à vida divina". Repensando a minha vida e a minha experiência, naquele 21 de setembro de 1953, quando Deus veio ao meu encontro, surpreendendo-me, sempre disse que o Senhor "nos primerea", ou seja, nos precede, se antecipa a nós. Acredito que o mesmo se possa dizer da sua misericórdia divina, concedida para sarar nossas feridas e que nos antecipa.

Deus nos acompanha com atenção; espera que lhe abramos ao menos uma pequena fresta para que possa agir em nós com seu perdão, com a sua graça. Apenas quem foi tocado, acariciado pela ternura da misericórdia, conhece verdadeiramente o Senhor. Por isso, repeti muitas vezes que o lugar em que acontece o encontro com a misericórdia de

Jesus é o meu pecado. Quando se experimenta o abraço de misericórdia, quando nos deixamos abraçar, quando nos deixamos tocar; então a vida pode mudar, porque procuramos responder a este dom imenso e surpreendente, que aos olhos humanos pode até parecer "injusto", por ser tão grande. Estamos perante um Deus que conhece os nossos pecados, as nossas traições, as nossas negações, a nossa miséria. No entanto, é ali que nos espera, para doar-Se totalmente a nós, para nos reerguer. Relembrando o episódio citado no romance de Marshall, parto de um pressuposto semelhante, que vai na mesma direção. Não existe apenas a máxima jurídica sempre válida, segundo a qual *in dubio pro reo*, ou seja, na dúvida se decida sempre em favor da pessoa submetida a julgamento. Existe também a importância do gesto. O simples fato de uma pessoa procurar o confessionário indica já um início de arrependimento, ainda que não seja consciente. Se não fosse aquele passo inicial, a pessoa não teria vindo. O simples fato de estar ali pode testemunhar o desejo de uma mudança. A palavra é importante: explicita o gesto. Mas o gesto em si mesmo é importante, e às vezes pode valer mais a presença hesitante e humilde de um penitente que tem dificuldade de falar, do que as muitas palavras de alguém que descreve o seu arrependimento.

IV
Pecador, como Simão Pedro

O senhor muitas vezes se definiu como "um pecador". Ao encontrar-se com os presos de Palmasola, na Bolívia, durante a viagem de julho de 2015 à América Latina, disse: "Diante de vocês está um homem perdoado dos seus muitos pecados...". Impressiona ouvir um Papa falar assim de si mesmo...

Está falando sério? Não acho que seja assim tão fora do comum, mesmo entre os meus predecessores. Li na documentação do processo de beatificação de Paulo VI o testemunho de um dos seus secretários, ao qual o Papa, fazendo eco das palavras que já citei no seu *Pensamento sobre a morte*, lhe confidenciou: "Para mim, sempre foi um grande mistério de Deus estar diante da minha miséria e estar diante da misericórdia de Deus. Não sou nada, sou miserável. Deus Pai gosta muito de mim, quer salvar-me, quer tirar-me desta miséria em que me encontro, mas sou incapaz de fazer isso por mim mesmo. Então manda o seu Filho, um Filho que traz a misericórdia de Deus traduzida num ato de amor por mim… Mas para receber este dom é preciso uma graça especial, a graça da conversão. Tenho que reconhecer a ação de Deus Pai no seu Filho em meu favor. Após reconhecer isso, Deus atua em mim através do seu Filho". É uma síntese belíssima da mensagem cristã. E o que dizer da homilia com que Albino Luciani iniciou o seu episcopado em Vittorio Veneto, explicando que a escolha recaíra nele porque determinadas coisas, em vez de escrever no bronze ou no mármore, o Senhor preferia escrevê-las no pó da terra. Assim, se a escrita permanecesse, estaria claro que o mérito seria todo de Deus. Ele, o bispo, o futuro Papa João Paulo I, definia-se como "o pó".

Devo dizer que, quando falo sobre isso, penso sempre no que Pedro disse a Jesus no domingo da sua ressurreição, quando o encontrou sozinho. Um encontro a que se refere o evangelista Lucas (24, 34). Que terá dito Simão Pedro ao Messias assim que Ele ressuscitou do sepulcro? Terá dito que se sentia um pecador? Terá pensado na negação, no que acontecera poucos dias antes, quando por três vezes fingira não conhecê-lo no pátio da casa do Sumo Sacerdote? Terá pensado no seu pranto amargo e público? Se Pedro fez isso, e se os Evangelhos nos descrevem o seu pecado, a sua negação, e se apesar de tudo isso Jesus lhe disse: "Apascenta minhas ovelhas" (Evangelho de João 21, 16), não creio que devamos ficar surpresos se também os seus sucessores descrevem-se a si mesmos como "pecadores". Não é uma novidade. O Papa é um homem que precisa da misericórdia de Deus. Falei isso com toda sinceridade, inclusive aos prisioneiros de Palmasola, na Bolívia, perante aqueles homens e aquelas mulheres que me receberam com tanto carinho. Relembrei a eles que também São Pedro e São Paulo estiveram presos. Tenho um afeto especial pelos que vivem na prisão, privados da liberdade. Sempre fui muito ligado a eles, por esta consciência do meu ser pecador. Cada vez que entro numa prisão para uma celebração ou para uma visita, sempre me vem este pensamento: por que eles e não eu? Devia estar aqui, merecia estar aqui. A sua queda poderia ser a minha, não me sinto melhor do que aqueles que tenho diante de mim. Assim me encontro a repetir e a rezar: por que eles e não eu? Isso pode escandalizar, mas consolo-me com Pedro que negou Jesus e apesar disso foi escolhido.

Por que somos pecadores?

Porque existe o pecado original. Uma realidade que se pode experimentar. A nossa humanidade está ferida, sabemos reconhecer o bem e o mal, sabemos o que é o mal, procuramos seguir o caminho do bem, mas muitas vezes caímos devido à nossa fraqueza e escolhemos o mal. É a consequência do pecado da origem, do qual temos plena consciência graças à Revelação. A história do pecado de Adão e Eva, a rebelião contra Deus que lemos no Gênesis, utiliza uma linguagem figurada para expor algo que realmente aconteceu na origem da humanidade.

O Pai sacrificou seu Filho; Jesus se humilhou, aceitou deixar-se torturar, crucificar e aniquilar para nos redimir do pecado, para sarar aquela ferida. Assim, aquela culpa dos nossos progenitores é celebrada como *felix culpa* no canto do *Exultet*, que a Igreja entoa durante a celebração mais importante do ano – a Vigília Pascal: Culpa "feliz", porque nos mereceu tão grande redenção.

Que conselhos daria a um penitente para uma boa confissão?

Que coloque abertamente as realidades de sua vida diante de Deus, o que está sentindo, o que está pensando. Que saiba olhar com sinceridade para si mesmo e para o seu pecado. E que se sinta pecador, que se deixe surpreender, ser tocado por Deus. Para que Ele nos preencha com o dom da Sua misericórdia infinita, temos de sentir a nossa necessidade, o nosso vazio, a nossa miséria. Não podemos ser soberbos. Lembro-me da história que uma vez me contou um executivo argentino, conhecido meu. Tinha um colega que parecia muito empenhado na vida cristã: recitava o rosário, fazia leituras espirituais etc. Um dia confidenciou-lhe, *en passant*, como se nada fosse, que tinha uma relação íntima com a sua empregada doméstica. E lhe deu a entender que era uma coisa normal, porque – dizia – essas pessoas, ou seja, as empregadas, no fundo estavam ali "para isso". Meu amigo ficou escandalizado, porque o colega em causa estava lhe dizendo para acreditar na existência de seres humanos superiores e inferiores: estes destinados a serem aproveitados e "usados", como aquela empregada. Ficou impressionado com aquele exemplo: apesar de todas as objeções que lhe foram colocadas, aquele homem mantinha as suas ideias, sem se deixar afetar. E continuava a considerar-se um bom cristão, porque rezava, fazia boas leituras espirituais todos os dias e ia à missa aos domingos. É um caso de soberba, o contrário do coração despedaçado de que falam os padres da Igreja.

E que conselhos daria a um sacerdote que lhe perguntasse: como faço para ser um bom confessor?

Acredito que em parte já respondi com o que disse antes. Que pense nos seus pecados, que escute com ternura, que peça ao Senhor para lhe dar um coração misericordioso como o Seu, que jamais atire a primeira pedra, porque também ele é um pecador necessitado de perdão. E que tente assemelhar-se a Deus na sua misericórdia. É isso que gostaria de dizer.

Devemos voltar com a mente e com o coração à parábola do filho pródigo. O mais novo de dois irmãos, ao receber sua parte da herança do pai, gastou tudo, levando uma vida dissoluta, e tinha de criar porcos para sobreviver. Reconhecendo o seu erro, voltou para casa para pedir ao pai que o recebesse ao menos como servo, mas o pai, que o esperava, que contemplava o horizonte para avistá-lo, foi ao seu encontro e antes que o filho lhe dissesse qualquer coisa, antes de admitir os seus pecados, ele o abraçou. Este é o amor de Deus, esta é a sua imensa misericórdia.

Mas temos de meditar também sobre a atitude do filho mais velho, que ficou em casa trabalhando com o pai e sempre se comportou bem. Quando ele toma a palavra, é o único que, no fundo, diz a verdade: "Eu trabalho para ti há tantos anos, jamais desobedeci a qualquer ordem tua. E nunca me deste um cabrito para festejar com meus amigos. Mas quando chegou esse teu filho, que esbanjou teus bens com as prostitutas, matas para ele o novilho gordo" (Evangelho de Lucas 15, 29-30). Diz a verdade, mas ao mesmo tempo se autoexclui.

V
Misericórdia demais?

Há alguns anos, numa escola do norte da Itália, um professor de ensino religioso explicou na sua aula a parábola do filho pródigo, depois pediu aos jovens para escreverem um tema livre, abordando a história que haviam acabado de ouvir. O final escolhido pela grande maioria dos alunos foi este: o pai recebe o filho pródigo, pune-o severamente e o manda viver com os seus servos. Assim aprenderá a não gastar todas as riquezas da família...

Essa é uma reação humana. É a reação do filho mais velho; é humana. No entanto, a misericórdia de Deus é divina.

Como podemos enfrentar o complexo do filho mais velho da parábola? Ouve-se de vez em quando dizerem, mesmo no seio da Igreja: é misericórdia demais! A Igreja tem é que condenar o pecado...

A Igreja condena o pecado, porque deve dizer a verdade: isto é um pecado. Mas ao mesmo tempo abraça o pecador que se reconhece como tal, o aproxima e fala com ele sobre a misericórdia infinita de Deus. Jesus até perdoou àqueles que o puseram na cruz e o desprezaram. Temos de voltar ao Evangelho. Lá vemos que não se fala apenas de acolhida ou de perdão, mas se fala de "festa" para o filho que retorna.

A expressão da misericórdia é a alegria da festa, que encontramos bem expressa no Evangelho de Lucas: "Haverá no céu alegria por um só pecador que se converte, mais do que por noventa e nove justos que não precisam de conversão" (15, 7). Não diz: e se depois ele cair de novo, voltar para trás, cometer mais pecados, que se vire sozinho! Não, porque Jesus disse a Pedro, que lhe perguntara quantas vezes é preciso perdoar: "Setenta vezes sete" (Evangelho de Mateus 18, 22), ou seja, sempre.

Ao filho mais velho do pai misericordioso foi permitido que dissesse a verdade sobre tudo o que aconteceu, mesmo que não entendesse, até porque o outro irmão, quando começou confessar seus pecados, não teve tempo para falar: o pai o interrompeu e o abraçou. Exatamente porque existe o pecado no mundo, exatamente porque a nossa natureza humana está ferida pelo pecado original, Deus, que entregou seu Filho por nós, só poderia se revelar como misericórdia. Deus é um pai zeloso, atento, pronto para acolher qualquer pessoa que dê um passo ou que tenha o desejo de dar um passo na direção de casa. Ele está ali a observar o horizonte, nos aguarda, já está à nossa espera. Nenhum pecado humano, por mais grave que seja, pode prevalecer sobre a misericórdia ou limitá-la.

Bispo de Vittorio Veneto havia alguns anos, Albino Luciani pregou exercícios espirituais aos sacerdotes e, comentando a parábola do filho pródigo, disse a propósito do Pai: "Ele espera. Sempre. E nunca é tarde demais. É assim, é mesmo assim... é Pai. Um pai que espera à porta. Que nos avista quando estamos ainda longe, se comove, e correndo nos abraça com muito afeto e nos beija com ternura... O nosso pecado torna-se então quase uma joia que podemos lhe dar de presente para que tenha a alegria de nos perdoar... Como fazem os senhores, quando se oferecem joias, e não é uma derrota, mas uma gloriosa vitória deixar Deus vencer!".

Acompanhando o Senhor, a Igreja é chamada a transmitir a sua misericórdia a todos os que se reconhecem pecadores, responsáveis pelo mal praticado, que se sentem necessitados de perdão. A Igreja não está no mundo para condenar, mas para permitir o encontro com aquele amor visceral que é a misericórdia de Deus. Para que isso aconteça, tenho repetido muitas vezes, é necessário sair. Sair das igrejas e das paróquias, sair e ir procurar as pessoas lá onde elas vivem, onde sofrem, onde esperam. O hospital de campanha, imagem com a qual gosto de descrever esta "Igreja em saída", tem a característica de estar onde se combate: não é a estrutura sólida, dotada de tudo, aonde se vai para curar as pequenas e grandes doenças. É uma estrutura móvel, de primeiros-socorros, de pronto atendimento, para evitar que os combatentes morram. Ali se pratica a medicina de urgência, não se fazem check-ups especializados. Espero que o Jubileu Extraordinário faça emergir cada vez mais o rosto de uma Igreja que redescobre as entranhas maternas da misericórdia e que vai ao encontro de tantos "feridos" necessitados de escuta, compreensão, perdão e amor.

VI
Pastores, não doutores da Lei

Poderá haver misericórdia sem o reconhecimento do próprio pecado?

Existe misericórdia, mas se você não quiser receber... Se você não se reconhece pecador, quer dizer que não quer receber misericórdia, quer dizer que não sente essa necessidade. Por vezes, pode ter dificuldade em perceber o que lhe aconteceu. Às vezes, você pode desconfiar, acreditar que não é possível se reerguer. Ou, então, prefere ficar com as suas feridas, as feridas do pecado, e faz como o cão: lambe com a língua, lambe as feridas. Esta é uma doença narcisista que só traz amargura. Existe um prazer na amargura, um prazer doentio.

Se não saímos da nossa miséria, se continuamos perdidos, se desesperamos da possibilidade de sermos perdoados, acabaremos por lamber as feridas que permanecem abertas e nunca nos curaremos. No entanto, existe o remédio, existe a cura, se dermos apenas um pequeno passo na direção de Deus ou se tivermos pelo menos o desejo de dar este passo. Basta uma mínima abertura, basta levar a sério a sua própria condição. É também importante conservar a memória, recordar de onde viemos, o que somos, o nosso nada. É importante não pensarmos que somos autossuficientes.

Santa Teresa d'Ávila alertava as suas irmãs para a vaidade e a autossuficiência. Quando ouvia dizer "fizeram-me isto sem razão", comentava: "Deus nos liberte dos maus pensamentos. Aquela que não quer levar a cruz não sei por que está no convento". Nenhum de nós pode falar de injustiça se pensar nas muitas injustiças que cometeu perante Deus. Nunca devemos perder a memória das nossas origens, da lama de onde nos retiraram, e isso vale principalmente para os consagrados.

Que pensa de quem confessa sempre os mesmos pecados?

Quando se entende como a repetição quase automática de um formulário, diria que o penitente não está bem preparado, não teve uma boa catequese, não sabe fazer o exame de consciência e não conhece os muitos pecados que se cometem e dos quais ele não se dá conta... Gosto muito da confissão das crianças, porque não são abstratas, descrevem realmente como a situação ocorreu. Fazem-nos rir. São simples: dizem o que aconteceu, sabem que aquilo que fizeram está errado.

Se existe uma repetição que se torna um hábito, é como se não conseguisse crescer na consciência de si próprio e do Senhor; é como se não reconhecesse ter pecado, ter feridas para curar. A confissão como rotina é um pouco o exemplo da lavanderia de que falava antes. Quantas pessoas feridas, mesmo psicologicamente, não têm essa consciência. Digo isso pensando em quem se confessa com o formulário...

Outra situação é quem reincide no mesmo pecado e sofre com isso, quem tem dificuldade de se levantar. Existem muitas pessoas humildes que confessam as suas reincidências. O importante na vida de cada homem e de cada mulher não é nunca cair ao longo do percurso. O importante é reerguer-se sempre e não ficar no chão lambendo as feridas. O Senhor da misericórdia me perdoa sempre, por isso me oferece a possibilidade de recomeçar sempre. Ele me ama por aquilo que sou, quer reerguer-me, e me estende a Sua mão. Esta é também uma tarefa da Igreja: fazer com que as pessoas percebam que não existem situações das quais não podem se reerguer, pois enquanto estivermos vivos é sempre possível recomeçar, se permitirmos que Jesus nos abrace e nos perdoe.

No tempo em que era reitor do Colégio Máximo dos Jesuitas e pároco na Argentina, lembro-me de uma mãe que tinha filhos pequenos e que fora abandonada pelo marido.

Não tinha um trabalho fixo, apenas conseguia encontrar bons trabalhos alguns meses por ano. Quando não encontrava trabalho para dar de comer aos filhos trabalhava como prostituta. Era humilde, frequentava a paróquia, tentávamos ajudá-la por meio da Cáritas. Lembro-me de que um dia – estávamos no período das festas do Natal – ela veio com os filhos ao colégio e perguntou por mim. Então me chamaram e eu fui atendê-la. Estava ali para me agradecer. Eu pensava que era pela cesta básica da Cáritas que lhe tínhamos enviado: "Recebeu os alimentos?", perguntei. E ela: "Sim, sim, agradeço também por isso. Mas vim aqui agradecer-lhe porque nunca deixou de me chamar de 'senhora'". Há situações com as quais aprendemos o quanto é importante acolher com delicadeza quem temos à nossa frente, não ferir a sua dignidade. Para ela, o fato de o pároco, mesmo tendo conhecimento da vida que levava nos meses em que não encontrava trabalho, continuar chamando-a de "senhora" era tão ou mais importante que aquela ajuda concreta que lhe dávamos.

Posso perguntar-lhe qual é a sua experiência como confessor de homossexuais? Ficou famosa a sua frase durante a entrevista coletiva no voo de regresso do Rio de Janeiro: "Quem sou eu para julgar?".

Naquela ocasião, respondi: se uma pessoa é gay, procura o Senhor e tem boa vontade, quem sou eu para julgá-la? Estava parafraseando de cor o Catecismo da Igreja Católica, em que se explica que essas pessoas devem ser tratadas educadamente e não as devemos marginalizar. Além disso, gosto que se diga "pessoas homossexuais": primeiro está a pessoa, no seu todo e dignidade. E a pessoa não é definida apenas pela sua tendência sexual: não nos podemos esquecer que todos somos criaturas amadas por Deus, destinatárias do seu infinito amor. Prefiro que as pessoas homossexuais venham se confessar, que fiquem próximas do Senhor, que possamos rezar juntos. Podemos aconselhar-lhes a oração, a boa vontade, indicar o caminho e acompanhá-las.

Poderá haver oposição entre a verdade e a misericórdia ou entre a doutrina e a misericórdia?

Respondo assim: a misericórdia é verdadeira, é o primeiro atributo de Deus. Depois, podem-se fazer reflexões teológicas sobre doutrina e misericórdia, mas sem esquecer que a misericórdia é doutrina. Contudo, gosto mais de dizer: a misericórdia é verdadeira. Quando Jesus se encontra perante a mulher adúltera e as pessoas que estavam preparadas para apedrejá-la, aplicando a Lei Mosaica, ele para e escreve na areia. Não sabemos o que escreveu, o Evangelho não o diz, mas todos os que ali estavam, preparados para atirar a primeira pedra, deixaram as pedras cair e um a um foram embora. Permanece apenas a mulher, ainda amedrontada, depois de ter estado a um passo da morte. Jesus lhe diz: "Eu também não te condeno. Vai, e de agora em diante não peques mais". Não sabemos como foi a sua vida depois daquele encontro, depois daquela intervenção e daquelas palavras de Jesus. Sabemos que foi perdoada. Sabemos que Jesus diz que é necessário perdoar setenta vezes sete vezes: o importante é voltar muitas vezes às fontes da misericórdia e da graça.

Qual a razão pela qual, comentando o Evangelho nas homilias matinais em Santa Marta, o senhor fala tantas vezes dos "doutores da Lei"? Qual a atitude que representam?

É uma atitude que encontramos descrita em muitos episódios do Evangelho: são os principais opositores de Jesus aqueles que o desafiam em nome da doutrina. É uma atitude que também encontramos ao longo de toda a história da Igreja.

Durante uma assembleia do episcopado italiano, um irmão bispo citou uma expressão extraída do *De Abraham* de Santo Ambrósio: "Quando se trata de distribuir a graça, Cristo está presente; quando se deve exercer o rigor, estão presentes apenas os ministros, mas Cristo está ausente". Pensemos em muitas tendências do passado que reaparecem hoje sob outras formas: os cátaros, os pelagianos que justificam a si mesmos por meio de suas obras e do seu esforço voluntarioso, atitude esta abordada de forma muito clara no texto da Carta aos Romanos, de Paulo. Pensemos no gnosticismo, que leva a uma espiritualidade amena, sem encarnação. João é muito claro sobre isto: quem nega que Jesus Cristo veio na carne é o anticristo. Penso sempre no trecho do Evangelho de Marcos (1, 40-45), onde é descrita a cura do leproso por parte de Jesus. Mais uma vez, como em muitas outras páginas dos Evangelhos, vemos que Jesus não fica indiferente, mas sente compaixão, deixa-se envolver e ferir pela dor, pela doença, pela necessidade de quem encontra. Não foge. A Lei de Moisés estabelecia a exclusão da cidade para o doente com lepra, que devia permanecer fora do acampamento (Levítico 13, 45-46), em lugares desertos, marginalizado e declarado impuro. Ao sofrimento da doença juntava-se a exclusão, a marginalização, a solidão. Tentemos imaginar que carga de sofrimento e vergonha devia ter o leproso, que se sentia não só vítima da doença, mas também culpado, punido pelos seus pecados. A Lei que levava a marginalizar sem piedade o leproso tinha como objetivo evitar o contágio: era necessário proteger os saudáveis.

Jesus age segundo outra lógica. Por sua conta e risco aproxima-se do leproso, para o reintegrar e curar. E assim abre um novo horizonte, da lógica de um Deus que é amor, um Deus que quer a salvação de todos os homens. Jesus tocou no leproso e o reintegrou na comunidade. Não se limitou a estudar teoricamente a situação, não perguntou aos especialistas os prós e os contras. Para Ele, aquilo que contava realmente era buscar os afastados e salvá-los, como o Bom Pastor que deixa o rebanho para ir em busca da ovelha perdida. Naquela época, como hoje, esta lógica e esta atitude podem escandalizar; provocam o resmungo de quem está habituado, sempre e apenas, a colocar tudo nos seus próprios esquemas mentais e na própria pureza ritual, em vez de se deixar surpreender pela realidade, por um amor e por uma medida maior.

Jesus vai curar e integrar os marginalizados que estão fora da cidade, fora do acampamento. Assim fazendo, nos indica o caminho. Neste trecho do Evangelho nos encontramos diante de duas lógicas de pensamento e de fé. De um lado, o medo de perder os justos, os redimidos, as ovelhas que já estão dentro do curral, em segurança. De outro lado, o desejo de salvar os pecadores, os perdidos, aqueles que estão fora do recinto. A primeira é a lógica dos doutores da Lei, a segunda é a lógica de Deus que acolhe, abraça, transforma o mal em bem, transforma e redime o meu pecado, transmuta a sentença de condenação em salvação. Jesus entra em contato com o leproso e o toca. Assim fazendo nos ensina como agir, qual lógica seguir perante as pessoas que sofrem física e espiritualmente. Temos este exemplo a seguir, vencendo preconceitos e rigorismos, assim como fizeram os apóstolos nos inícios da Igreja, quando tiveram de vencer, por exemplo, as resistências daqueles que exigiam a observância incondicional da Lei de Moisés, até por parte dos pagãos convertidos.

Existe o risco do "contágio", o risco de deixar-se contaminar?

É necessário entrar na escuridão, na noite que atravessam tantos dos nossos irmãos. Ser capaz de entrar em contato com eles, de fazer com que sintam a nossa proximidade, sem se deixar envolver e condicionar por aquela escuridão. Ir ao encontro dos marginalizados, ao encontro dos pecadores, não significa permitir que os lobos entrem no rebanho. Significa se esforçar para chegar a todos, testemunhando a misericórdia, aquela que nós mesmos experimentamos primeiro, sem jamais cair na tentação de nos sentir os justos ou os perfeitos. Quanto mais viva a consciência da nossa miséria e do nosso pecado, quanto mais experimentamos o amor e a infinita misericórdia de Deus sobre nós, tanto mais somos capazes de estar perante os muitos "feridos" que encontramos em nosso caminho com um olhar de acolhimento e misericórdia. E, por isso, evitando a atitude de quem julga e condena das alturas de sua segurança, procurando um cisco no olho de outro sem se dar conta da viga que está em seu próprio olho.

Recordemos sempre que o nosso Deus faz mais festa por um pecador que regressa ao rebanho que por noventa e nove justos que não precisam de perdão. Quando alguém começa a perceber que está enfermo na alma, quando o Espírito Santo – ou seja, a Graça de Deus – age e encaminha o coração na direção de um reconhecimento inicial do seu próprio pecado, tem de encontrar as portas abertas e não fechadas. Tem de encontrar acolhida, não julgamento, preconceito ou condenação. Tem de ser ajudado, não expulso ou marginalizado. Por vezes, existe o risco de os cristãos, com sua psicologia de doutores da Lei, apagarem aquilo que o Espírito Santo acende no coração de um pecador, de alguém que está à porta, de alguém que começa a sentir saudades de Deus. No entanto, gostaria de sublinhar outra atitude dos doutores da Lei, para dizer como neles muitas vezes existe hipocrisia, uma adesão formal à Lei que esconde feridas profundas. Jesus usa palavras muito duras, os define como "sepulcros caiados", praticantes apenas no exterior, mas por dentro, na sua interioridade... hipócritas. Homens que viviam agarrados à palavra da Lei, mas que esqueciam o amor, homens que apenas sabiam fechar as portas e marcar os limites. O capítulo 23 do Evangelho de Mateus é muito claro, temos de voltar a este texto para compreender o que é a Igreja e o que nunca deve ser. Ali se descreve a atitude daqueles que amarram pesados fardos e os colocam nos ombros das pessoas, mas não querem movê-los sequer com um dedo; são aqueles que adoram os primeiros lugares, que desejam ser chamados de mestres. Na origem dessas atitudes está a perda do encanto diante da salvação que lhes foi dada. Quando alguém se sente um pouco mais seguro, começa a apoderar-se de atributos que não são seus, mas do Senhor. O encanto começa a degradar-se, e isso está na base do clericalismo ou da atitude dos que se sentem puros. A adesão formal às regras, aos nossos esquemas mentais, prevalece. O encanto se degrada, acreditamos que podemos fazer tudo sozinhos, que somos os protagonistas. E se alguém é um ministro de Deus, acaba por acreditar que está separado do povo, dono da doutrina, titular de um poder, fechado às surpresas de Deus. A "degradação do encanto" é uma expressão que me diz muito. Às vezes surpreendo a mim mesmo pensando que faria bem a algumas pessoas muito rígidas um deslize, porque assim, reconhecendo-se pecadores, encontrariam Jesus. Voltam à minha mente as palavras do servo de Deus, João Paulo I, que durante uma audiência de quarta-feira disse: "O Senhor ama tanto a humildade que, por vezes, permite pecados graves. Para quê? Para que aqueles que cometeram esses pecados, depois de se arrependerem, fiquem humildes. Não se tem vontade de imaginar-se meio anjo quando se sabe que cometeu faltas graves". E poucos dias depois, noutra ocasião, o próprio papa Luciani recordava o que São Francisco de Sales chamava de "nossas queridas imperfeições": "Deus detesta as faltas, porque são faltas. Por outro lado, porém, num certo sentido, ama as faltas enquanto

Lhe dão ocasião de mostrar a sua misericórdia e a nós de permanecermos humildes e compreendermos as faltas do próximo e dela nos compadecermos".

O senhor citou muitas vezes exemplos e atitudes de fechamento: que coisas afastam as pessoas da Igreja?

Por coincidência, por esses dias, recebi um e-mail de uma senhora que mora numa cidade da Argentina. Contou-me que há vinte anos se dirigira ao tribunal eclesiástico para dar início ao processo de nulidade matrimonial. As razões eram sérias e fundamentadas. Um sacerdote lhe dissera que podia obtê-la sem problemas, porque se tratava de um caso muito claro quanto às causas da nulidade. Mas, primeiro, ao recebê-la, pediu que pagasse cinco mil dólares. Ela ficou escandalizada e abandonou a Igreja. Telefonei e conversei com ela. Contou-me que tem duas filhas que trabalham muito na paróquia. E me falou de um caso que acabara de acontecer na sua cidade: um recém-nascido morreu numa clínica sem ser batizado. O padre não deixou os pais entrarem na igreja com o caixão da criança; quis que ficassem diante da porta, porque o menino não era batizado e, por isso, não poderia ultrapassar aquele limiar. Quando as pessoas se deparam com esses péssimos exemplos, em que prevalece o interesse ou a pouca misericórdia e o fechamento, se escandalizam.

Na exortação Evangelii Gaudium, *o senhor escreveu: "Um pequeno passo, no meio de grandes limitações humanas, pode ser mais agradável a Deus do que uma vida exteriormente correta de quem passa os seus dias sem enfrentar grandes dificuldades" (EG 44). O que significa?*

Parece-me bastante claro. Esta é uma doutrina católica, faz parte da grande Lei da Igreja, que é a do *et et* e não do *aut aut*. Para algumas pessoas, pela condição em que se encontram, pelo drama humano que estão vivendo, um pequeno passo, uma pequena mudança vale muito aos olhos de Deus. Recordo que em certa ocasião encontrei uma moça na entrada de um santuário. Era bela e sorridente. Ela me disse: "Estou feliz, padre; venho agradecer a Nossa Senhora por uma graça recebida". Era a mais velha dos irmãos, não tinha pai e para ajudar a manter a família se prostituía: "Não existia outro trabalho no meu bairro…". Contou-me que um dia um homem foi ao prostíbulo. Vinha de uma grande cidade e estava ali a trabalho. Gostaram um do outro e, ao voltar para sua cidade, ele propôs que ela o acompanhasse. Durante muito tempo, ela se dirigira a Nossa Senhora pedindo para lhe dar um trabalho que lhe permitisse mudar de vida. Estava muito feliz por poder deixar de fazer aquilo que fazia.

Fiz a ela duas perguntas: a primeira dizia respeito à idade do homem que encontrara. Queria me certificar de que não se tratava de uma pessoa idosa que quisesse se aproveitar dela. Disse-me que era jovem. Então perguntei: ele irá casar com você? A moça respondeu: "Eu gostaria, mas ainda não tenho coragem de lhe perguntar com medo de assustá-lo...". Ela estava muito feliz por deixar aquele mundo em que vivera para sustentar a família.

Outro exemplo de um gesto aparentemente pequeno, mas grande aos olhos de Deus, é aquele que fazem muitas mães e esposas aos sábados e aos domingos ao esperar na fila para entrar na prisão e levar comida e presentes aos filhos e maridos presos. Elas se submetem à humilhação de serem revistadas. Não renegam os filhos ou maridos que erraram e vão visitá-los. Este gesto aparentemente pequeno é enorme aos olhos de Deus. É um gesto de misericórdia, apesar dos erros cometidos pelos seus queridos familiares.

VII
Pecadores, sim. Corruptos, não!

Na Bula de Proclamação do Ano Santo da Misericórdia, o senhor escreveu: "Se Deus Se detivesse na justiça deixaria de ser Deus; seria como todos os homens que invocam o respeito à Lei. A justiça sozinha não basta, e a experiência ensina que quando se apela somente a ela corre-se o risco de destruí-la". Que relação existe entre misericórdia e justiça?

No Livro da Sabedoria (12, 18-19), lemos: "No entanto, dominando tua própria força, julgas com clemência. Assim procedendo, ensinaste ao teu povo que o justo deve ser humano. E a teus filhos deste a confortadora esperança de que, depois dos pecados, concedes o arrependimento". A misericórdia é um elemento importante, aliás, indispensável nas relações entre os homens, para que haja fraternidade. Apenas a medida da justiça não basta. Com a misericórdia e o perdão, Deus vai além da justiça, a inclui e a supera numa dimensão superior na qual se experimenta o amor, que é o fundamento de uma verdadeira justiça.

A misericórdia também tem valor civil? Que repercussão pode ter na vida social?

Sim. Ela tem. Pensemos no Piemonte do fim do século XIX, nas Casas de Misericórdia, nas Santas Casas, nos santos da misericórdia, no Cotolengo, Dom Bosco... O Cotolengo com os enfermos, Dom Cafasso, acompanhava os condenados à forca. Pensemos no que significa hoje a obra iniciada pela beata Madre Teresa de Calcutá, algo que vai contra todos os cálculos humanos: dar a vida para ajudar os idosos e os doentes, ajudar os mais pobres entre os pobres a morrer dignamente numa cama limpa. Isto vem de Deus. O cristianismo assumiu a herança da tradição hebraica, o ensinamento dos profetas sobre a proteção do órfão, da viúva e do estrangeiro. A misericórdia e o perdão são importantes, mesmo nas relações sociais e nas relações entre os Estados. São João Paulo II, na mensagem da Jornada Mundial da Paz em 2002, após os ataques terroristas nos Estados Unidos, afirmou que não há justiça sem perdão e que a capacidade de perdão está na base de cada projeto de uma sociedade futura mais justa e solidária. A ausência de perdão e o fazer justiça com as próprias mãos, "olho por olho, dente por dente", arriscam a alimentar uma espiral de conflitos sem fim.

Posso lhe perguntar como se conjuga a justiça terrena com a misericórdia, sobretudo nos casos de quem se manchou com graves culpas e crimes terríveis?

Mesmo na justiça terrena, nas normas jurídicas, está surgindo uma nova consciência. Já citamos em outro momento desta conversa a regra *in dubio pro reo*. Pensemos no quanto cresceu a consciência mundial na rejeição da pena de morte. Pensemos no quanto se está tentando fazer pela reintegração social dos presos, para que quem errou, após pagar sua dívida com a justiça, possa encontrar mais facilmente um trabalho e não ficar à margem da sociedade.

Usei uma cruz pastoral de madeira de oliveira, feita por uma oficina de carpintaria que faz parte de um projeto de reintegração de presos e ex-dependentes químicos. Tenho conhecimento de algumas iniciativas positivas de trabalho dentro dos presídios. A misericórdia divina contagia a humanidade. Jesus era Deus, mas também era homem, e na sua pessoa encontramos também a misericórdia humana. Com a misericórdia, a justiça é mais justa, realiza-se realmente a si mesma. Isso, porém, não significa ser condescendente, no sentido de escancarar as portas das prisões para quem cometeu crimes graves. Significa que devemos ajudar a não permanecer por terra aqueles que caíram. É difícil colocar isso em prática, porque às vezes preferimos trancar alguém numa prisão por toda a vida em vez de tentar recuperá-lo, ajudando-o a se reintegrar na sociedade.

Deus perdoa tudo, oferece uma nova possibilidade a todos, concede a sua misericórdia a todos que a pedem. Somos nós que não sabemos perdoar.

O senhor disse durante uma homilia na Casa Santa Marta: "Pecadores, sim. Corruptos, não!". Que diferença existe entre pecado e corrupção?

A corrupção é o pecado que, em vez de ser reconhecido como tal e de nos tornar humildes, é transformado em sistema, torna-se um hábito mental, um modo de viver. Não nos sentimos mais necessitados de perdão e de misericórdia, mas justificamos a nós mesmos e aos nossos comportamentos. Jesus diz aos seus discípulos: se alguém te ofende sete vezes ao dia e sete vezes volta a ti para pedir perdão, perdoa-lhe. O pecador arrependido, que depois cai e recai no pecado por causa de sua fraqueza, encontra novamente perdão, desde que se reconheça necessitado de misericórdia. O corrupto, ao contrário, é aquele que peca e não se arrepende, aquele que peca e finge ser cristão, e com a sua vida dupla provoca escândalo.

O corrupto não conhece a humildade, não se sente necessitado de ajuda, leva uma vida dupla. Em 1991, dediquei a este tema um longo artigo, publicado na forma de um pequeno livro, *Corrupção e pecado*. Não é o caso de considerar o estado de corrupção como se fosse apenas um pecado a mais. Embora muitas vezes se identifique a corrupção com o pecado, na verdade são duas realidades distintas, apesar de interligadas. O pecado, sobretudo se reiterado, pode levar à corrupção, mas não quantitativamente – no sentido de que determinado número de pecados fazem um corrupto –, quando muito qualitativamente: criam-se hábitos que limitam a capacidade de amar e levam à autossuficiência.

O corrupto se cansa de pedir perdão e acaba por acreditar que não deve pedir mais.

Não nos transformamos de repente em corruptos; existe um longo caminho de declínio, para o qual se desliza e que não se identifica simplesmente com uma série de pecados. Alguém pode ser um grande pecador e, no entanto, pode não ter caído na corrupção. Olhando para o Evangelho, penso, por exemplo, nas figuras de Zaqueu, de Mateus, da samaritana, de Nicodemos, do bom ladrão: nos seus corações pecadores, todos tinham algo que os salvou da corrupção. Estavam abertos ao perdão, o seu coração reconhecia a sua própria fraqueza, e essa foi a pequena fresta que permitiu entrar a força de Deus. O pecador, ao reconhecer-se como tal, de alguma maneira admite que aquilo a que aderiu, ou adere, é falso. O corrupto, por sua vez, esconde aquilo que considera o seu verdadeiro tesouro, aquilo que o torna escravo, e disfarça o seu vício com a boa educação, encontrando sempre um modo de salvar as aparências.

Falando ainda do pecado, a corrupção tem um grande impacto social: basta ler os artigos dos jornais...

A corrupção não é um ato, mas uma condição, um estado pessoal e social, no qual a pessoa se habitua a viver. O corrupto está tão fechado e satisfeito em alimentar a sua autossuficiência que não se deixa questionar por nada nem por ninguém. Construiu uma autoestima que se baseia em atitudes fraudulentas: passa a vida buscando os atalhos do oportunismo, ao preço de sua própria dignidade e da dignidade dos outros. O corrupto tem sempre a cara de quem diz: "Não fui eu!". Aquela que minha avó chamava "cara de santinho".

O corrupto é aquele que se indigna porque lhe roubam a carteira e se lamenta pela falta de policiais nas ruas, mas depois engana o Estado, sonegando impostos, e talvez demita os empregados a cada três meses para evitar contratá-los por tempo indeterminado, ou então possui trabalhadores não registrados. E depois conta vantagem de tudo isso diante dos amigos. É aquele que talvez vá à missa todo domingo, mas não vê nenhum problema em aproveitar a sua posição de poder, para exigir o pagamento de propinas. A corrupção faz perder o pudor que protege a verdade, a bondade, a beleza. O corrupto muitas vezes não se dá conta do seu estado, do mesmo modo que quem tem mau hálito e não se dá conta. E não é fácil para o corrupto sair dessa condição por um remorso interior. Geralmente o Senhor o salva por meio das grandes provas da vida, situações que não pode evitar e que destroem a máscara construída pouco a pouco, permitindo assim à graça de Deus entrar.

Temos de repetir: pecadores, sim. Corruptos, não! Pecadores, sim. Como dizia o publicano no templo, sem ter nem ao menos a coragem de levantar os olhos ao céu. Pecadores, sim, como Pedro se reconheceu, chorando amargamente após ter negado Jesus. Pecadores, sim. Como tão sabiamente nos faz reconhecer a Igreja no início de cada missa, quando somos convidados a bater no peito, ou seja, a reconhecer-nos necessitados de salvação e de misericórdia. Temos que rezar de forma especial durante este Jubileu, para que Deus abra uma fresta também nos corações dos corruptos, dando-lhes a graça da vergonha, a graça de se reconhecerem pecadores necessitados do Seu perdão.

O senhor disse várias vezes: "Deus nunca se cansa de perdoar, somos nós que nos cansamos de lhe pedir perdão". Por que Deus nunca se cansa de nos perdoar?

Porque é Deus, porque Ele é misericórdia, e porque a misericórdia é o primeiro atributo de Deus. É o nome de Deus.

Não existem situações de que não podemos sair, não somos condenados a afundar nas areias movediças, onde quanto mais nos mexemos mais afundamos. Jesus está ali, com a mão estendida, preparado para nos agarrar e arrancar para fora da lama, do pecado, e até do abismo do mal em que caímos. Devemos apenas tomar consciência do nosso estado, ser honestos conosco mesmos e não lamber as nossas feridas. Pedir a graça de nos reconhecer como pecadores, responsáveis por aquele mal. Quanto mais reconhecermos que precisamos de ajuda, quanto mais nos envergonharmos e nos humilharmos, mais depressa seremos inundados com o seu abraço de Graça. Jesus nos espera, nos precede, nos estende a mão, tem paciência conosco. Deus é fiel.

A misericórdia será sempre maior do que qualquer pecado, ninguém pode impor um limite ao amor de Deus que perdoa. Se olharmos apenas para Ele, se apenas levantarmos o olhar humilde sobre o nosso eu e sobre as nossas feridas e deixarmos pelo menos uma pequena abertura à ação da sua Graça, Jesus faz milagres também com o nosso pecado, com aquilo que somos, com o nosso nada, com a nossa miséria.

Penso no milagre das "Bodas de Caná", o primeiro milagre que foi literalmente "arrancado" de Jesus pela Mãe. Jesus transforma a água em vinho da melhor qualidade. Faz este milagre utilizando a água das jarras que serviam para a purificação ritual, para lavar as próprias impurezas espirituais. O Senhor não faz aparecer o vinho do nada, usa a água dos copos em que se "lavou" dos pecados, a água que contém impurezas. Faz um milagre com aquilo que nos parece impuro. Transforma-o, tornando evidente a afirmação de Paulo na Carta aos Romanos: "Onde, porém, se multiplicou o pecado, a graça transbordou" (5, 20).

Os padres da Igreja falam disso. Santo Ambrósio, em especial, diz: "A culpa nos beneficiou mais do que nos prejudicou, pois deu oportunidade à misericórdia divina de nos redimir" (*De Institutione Virginis*, 104). E mais: "Deus preferiu que houvesse mais homens para salvar e aos quais pudesse perdoar os pecados, que ter apenas um único Adão, que ficasse livre da culpa" (*De Paradiso*, 47).

Como se pode ensinar a misericórdia às crianças?

Habituando-as às histórias do Evangelho, às parábolas. Dialogando com elas e, sobretudo, fazendo-as experimentar a misericórdia. Fazendo-as entender que na vida podemos nos enganar, mas que o importante é sempre nos reerguer. Falando da família afirmei que é o hospital mais próximo: quando alguém está doente é ali que encontra a cura. A família é a primeira escola das crianças, é o ponto de referência imprescindível para os jovens, é o melhor lar para os idosos. Acrescento que a família é também a primeira escola da misericórdia, porque ali se é amado e se aprende a amar, se é perdoado e aprende-se a perdoar.

Penso no olhar de uma mãe que trabalha muito para comprar o pão para o filho dependente químico. Ela o ama, apesar dos seus erros.

VIII
Misericórdia e compaixão

Que diferenças e afinidades existem entre misericórdia e compaixão?

A misericórdia é divina, está relacionada com o julgamento sobre o nosso pecado. A compaixão tem um rosto mais humano. Significa sofrer com, sofrer juntos, não permanecer indiferente à dor e ao sofrimento alheio. É aquilo que Jesus sentia quando via a multidão que o seguia. Convidou os apóstolos para ir separadamente, num local secreto, escreve Marcos no seu Evangelho. A multidão os viu partir de barco, percebeu para onde iam e dirigiu-se para lá a pé, chegando antes deles. Jesus desceu do barco e "viu uma grande multidão e encheu-se de compaixão por eles, porque eram como ovelhas que não têm pastor. E começou, então, a ensinar-lhes muitas coisas" (6, 34).

Pensemos na belíssima página que descreve a ressurreição do filho da viúva de Naim, quando Jesus, chegando àquela aldeia da Galileia, se comove perante as lágrimas dessa senhora, viúva, destruída pela perda do seu único filho. Ele lhe diz: "Não chores!". Escreve Lucas: "Ao vê-la, o Senhor encheu-se de compaixão por ela" (7, 13). O Deus feito homem se deixa comover pela miséria humana, pela nossa necessidade, pelo nosso sofrimento. O verbo grego que traduz esta compaixão é σπλαγχνίξομαι (*splanchnízomai*) e deriva da palavra que indica as vísceras ou o útero materno. É semelhante ao amor de um pai e de uma mãe que se comovem profundamente pelo seu filho; é um amor visceral. Deus nos ama desta forma com compaixão e com misericórdia. Jesus não olha para a realidade do exterior sem se deixar tocar, como se tirasse uma fotografia; ele se deixa envolver. É desta compaixão que precisamos hoje, para vencer a globalização da indiferença. É deste olhar que precisamos quando nos encontramos perante um pobre, um marginalizado, um pecador. Uma compaixão que se nutre da consciência de que também somos pecadores.

Que afinidades e diferenças existem entre a misericórdia de Deus e a dos homens?

Este paralelo pode ser feito para cada virtude e para cada atributo de Deus. Caminhar pela estrada da santidade significa viver na presença de Deus, ser irrepreensível, dar a outra face, ou seja, imitar a Sua infinita misericórdia.

"Se alguém te forçar a acompanhá-lo por um quilômetro, caminha dois com ele" (Mateus 5,41); "e se alguém tomar o teu manto, deixe levar também a túnica" (Lucas 6, 29); "Dá a quem te pedir, e não vires as costas a quem te pede emprestado" (Mateus 5, 42). E por fim: "Ora, eu vos digo: Amai os vossos inimigos e orai por aqueles que vos perseguem!" (Mateus

5, 44). Vários ensinamentos do Evangelho nos ajudam a perceber a imensa misericórdia, a lógica de Deus.

Jesus envia os seus não como detentores de um poder ou como os donos da lei. Ele os envia ao mundo, pedindo a eles que vivam na lógica do amor e da gratuidade. O anúncio cristão se transmite acolhendo quem está em dificuldade, acolhendo o excluído, o marginalizado, o pecador. No Evangelho, lemos a parábola do rei e dos convidados para as núpcias de seu filho (Mateus 22, 1-14; Lucas 14, 15-24). Acontece que não se apresentam no banquete aqueles que foram convidados, ou seja, os melhores súditos, os mais perfeitos, que deixam cair no vazio o convite, porque estão demasiado presos às suas ocupações. Assim, o rei ordena aos servos para irem às ruas, às praças, e reunir todos aqueles que encontrarem, bons e maus, para fazê-los participar do banquete.

IX
Para viver o Jubileu

Quais são as experiências mais importantes que uma pessoa de fé deveria viver no Ano Santo da Misericórdia?

Abrir-se à misericórdia de Deus, abrir-se a si mesmo e ao seu coração, permitir que Jesus venha ao seu encontro, aproximando-se com confiança do confessionário. E procurar ser misericordioso com os outros.

As famosas "obras de misericórdia" da tradição cristã são ainda válidas para este terceiro milênio ou terão de ser repensadas?

São atuais, são válidas. Talvez em alguns casos se possa "traduzir" melhor, mas continuam a ser a base do nosso exame de consciência. Elas nos ajudam a nos abrir à misericórdia de Deus, a pedir a graça de entender que sem misericórdia a pessoa não pode fazer nada, e que "o mundo não existiria", como dizia a senhora idosa que encontrei em 1992.

Observemos acima de tudo as sete obras de misericórdia corporal: dar de comer aos famintos; dar de beber aos sedentos; vestir quem está nu; acolher os peregrinos; visitar os doentes; visitar os prisioneiros; enterrar os mortos. Parece-me que não há muito o que explicar. E se olharmos para a nossa situação, para as nossas sociedades, parece que não faltam circunstâncias e oportunidades à nossa volta. Perante o sem-teto que dorme debaixo da nossa janela, o pobre que não tem o que comer, a família dos nossos vizinhos que não tem o suficiente para chegar ao fim do mês devido à crise, porque o marido perdeu o emprego, que devemos fazer? Perante os imigrantes que sobrevivem à travessia e desembarcam nas nossas costas, como devemos nos comportar? Perante os idosos solitários, abandonados, que não têm mais ninguém, que devemos fazer?

Gratuitamente recebemos, gratuitamente damos. Somos chamados a servir Jesus crucificado em cada pessoa marginalizada. A tocar a carne de Cristo em quem é excluído, tem fome, tem sede, está nu, preso, doente, desempregado, perseguido ou refugiado. Ali encontramos o nosso Deus, ali tocamos o Senhor. Foi o próprio Jesus quem o disse, explicando qual será o critério pelo qual todos seremos julgados: todas as vezes que fizermos isso ao menor dos nossos irmãos, teremos feito a Ele (Evangelho de Mateus 25, 31-46).

Às obras de misericórdia corporal seguem as de misericórdia espiritual: aconselhar os indecisos; ensinar os que não sabem; advertir pecadores; consolar os aflitos; perdoar as ofensas; suportar pacientemente as pessoas difíceis; rezar a Deus pelos vivos e pelos mortos. Pensemos nas primeiras quatro obras de misericórdia espiritual: no fundo não têm a ver com aquilo que definimos como "o apostolado do ouvido"? Aproximar-se, saber escutar, aconselhar, ensinar acima de tudo com o nosso testemunho.

Da acolhida ao marginalizado que está ferido no corpo e da acolhida ao pecador que está ferido na alma, depende a nossa credibilidade como cristãos. Recordemos sempre as palavras de São João da Cruz: "No entardecer da vida, seremos julgados sobre o amor".

Sobre os autores

FRANCISCO
Jorge Mario Bergoglio

Nascido em Buenos Aires, em 17 de Dezembro de 1936, desde o dia 13 de Março de 2013 é Bispo de Roma e o 266º papa da Igreja Católica.

Em 13 de Março de 2015 quis dar uma decisiva reviravolta no seu pontificado, proclamando o Ano Santo da Misericórdia, iniciado no dia 08 de Dezembro de 2015 e que termina em 20 de Novembro de 2016.

Andrea Tornielli

Vaticanista, jornalista do *La Stampa* e responsável pelo site Vatican Insider, colabora com várias revistas italianas e internacionais.

Entre as suas publicações, destaca-se a primeira biografia do pontífice, *Francesco. Insieme* [*Francisco. A vida e as ideias do papa latino-americano*], traduzida para 16 idiomas, e publicada no Brasil pela Editora Planeta, e o volume *Papa Francesco. Questa economia uccide* [*Papa Francisco. Esta economia mata*], traduzido para 9 idiomas.

Este livro foi composto em Minion Pro e impresso pela RR Donnelley
para a Editora Planeta do Brasil em maio de 2016.